CONSTANCIO C. VIGIL

LA HORMIGUITA VIAJERA

ilustraciones
Alejandro **F**ried **J**uli **Q**uinley

EDITORIAL ATLANTIDA
BUENOS AIRES • MEXICO

coordinación industrial
Sergio **V**aldecantos

pre-impresión
ERCO S.R.L.

Título: Hormiguita viajera

Copyright © Editorial Atlántida, 1995.

Quinta edición publicada por Editorial Atlántida S.A.,

Azopardo 579, Buenos Aires, Argentina.

Derechos reservados. Libro de edición argentina.

Hecho el depósito que marca la ley 11.723.

Impreso en Argentina. Printed in Argentina.

Esta edición se terminó de imprimir en el mes de mayo de 2003,

en los talleres gráficos de Longseller S.A., Buenos Aires, Argentina.

Tirada: 2.000 ejemplares

ISBN 950-08-1337-8

Esta hormiguita era pequeña y negra. Vivía en el campo, en un hormiguero que tenía la entrada junto a una piedra muy grande.

Todos los días salía a recorrer los alrededores, porque era una hormiguita exploradora. Si encontraba algo que valiera la pena aprovechar, volvía enseguida al hormiguero para avisar a sus compañeras. Entonces, las hormigas obreras la seguían y se encargaban de dividir y transportar las cosas.

Un día la hormiguita encontró una servilleta. Después de olerla, tocarla y morderla exclamó:

–¡Qué hoja tan grande! ¡Y qué gusto raro tiene!

Encima de la servilleta descubrió una montaña que olía muy bien y la probó.

–¡Qué rico es esto! –dijo–. Si lo cortamos en pedacitos podremos llevarlo al hormiguero.
Avisaré a mis compañeras.

De pronto la montaña se levantó con ella por el aire, y se hizo de noche.
¿Qué estaba pasando?

Unos hombres, que trabajaban la tierra,
habían almorzado sentados en el suelo.
Al levantarse recogieron el pan
y la servilleta, con la hormiguita
dentro, y metieron todo
en una valija.

La hormiguita
decidió salir de allí
enseguida, pero
estaba muy oscuro
y no logró descubrir
un solo agujerito
por donde escapar.

¿Cómo, siendo ella
exploradora, había caído
en semejante trampa?

¡Y pensar que algunas
compañeras creerían que estaba
de paseo y otras preocupadas,
estarían buscándola por todas partes!

De pronto, la valija se abrió y entró la luz. Sin perder
un segundo, la hormiguita bajó al suelo y caminó rápido
para llegar cuanto antes a su casa.

4

Pero después de andar un rato, se detuvo.

Ella, que creía conocer todo el mundo, no sabía dónde estaba.

Había perdido el camino que llevaba hacia

su hormiguero, y ningún olor le resultaba conocido.

Primero, decidió caminar hacia el Norte;

no tardó en cambiar de idea y se fue al Oeste;

al rato prefirió ir hacia el Este;

luego se dirigió al Sur.

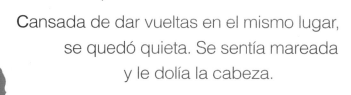

Cansada de dar vueltas en el mismo lugar,

se quedó quieta. Se sentía mareada

y le dolía la cabeza.

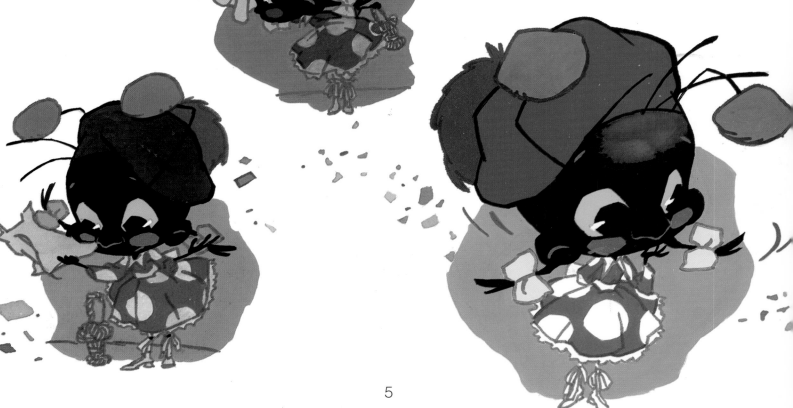

5

En ese momento un alguacil se posó junto a la hormiguita.
Era de hermoso color verde y tenía el cuerpo fino y elegante, y cuatro grandes alas transparentes. Al verla tan triste, le preguntó por qué lloraba, y ella contestó:

–Soy una hormiguita. Me perdí y ahora no encuentro mi casa.

–¡Tan negrita, tan chiquita y perdida! –exclamó el alguacil–. Dime dónde está tu casa.

–Donde hay una piedra grande –contestó la viajera.

–Piedras hay muchas.

–Cerca de donde vivimos siempre hay agua.

–Entonces es muy lejos. Aquí sólo se ve agua cuando
llueve. Lástima que todavía no te hayan salido
las alas. ¡Mira qué hermosas son las mías!

–Las veo –respondió la hormiguita–. Pero yo
no puedo volar y quiero llegar pronto
a casa.

–Entonces sigue la dirección de esta
ramita y tarde o temprano llegarás
–contestó el alguacil y levantó
vuelo y se perdió.

La hormiguita se dirigió hacia donde le había indicado el alguacil, y caminó y caminó hasta que se encontró con un caracol.

–Soy una hormiguita –le dijo al caracol–. Me perdí y busco mi casa.

–¡Cómo!... ¿Tú también tienes casa?

–Así es, señor.

–Me imagino que tu casa no será más grande que la punta de mis cuernos.

–No, es muy grande –contestó la hormiguita–. Yo vivo allí con muchísimas hormigas, y todas trabajamos. Todas, menos la Reina.

–Entonces debe ser una ciudad... Porque una casa es lo que yo llevo encima de mí.

–Sí, señor, pero yo quiero volver ahora mismo a mi hormiguero, y no sé cómo encontrarlo.

–¿Ves hacia dónde apuntan mis cuernos? Bueno, sigue caminando en esa dirección y, días más, días menos, al final llegarás.

Al irse, el caracol dejó en el pasto una baba que parecía de plata y brillaba al sol.

La hormiguita siguió su viaje, aunque no sabía muy bien cuál sería el rumbo correcto, porque cada uno de los cuernos apuntaba para un lado distinto y era imposible seguir ambas direcciones a la vez.

—Ojalá el caracol tuviera un solo cuerno —se dijo—. Así sabría bien adónde debo ir.

Siguió caminando y encontró una piedra muy grande.

Decidió subir hasta la parte más alta, para ver si desde arriba veía algo conocido.
De pronto la piedra se movió y empezó a andar, mientras la hormiguita temblaba
de miedo... ¡Qué rápido se movía esa cosa! ¿Y adónde la llevaba?

–¡Pare, pare! –gritaba la hormiguita. Pero la piedra no la oía o no le hacía caso.

Cuando por fin se detuvo, ella bajó enseguida. Vio que se había subido a una tortuga,
que con voz muy ronca le preguntó:

–¿Quién eres?

–Soy una hormiguita perdida que busca su casa.

–No hay nada más tonto que abandonar la casa
–dijo la tortuga–. ¡Aprende de mí! ¡Siempre la llevo
conmigo, no me pierdo nunca, y jamás me quedo
sin techo! Súbete de nuevo y te llevaré.

–¿Usted sabe dónde es mi casa? –preguntó
la hormiguita, contenta.

–No, no lo sé. Pero camino mucho, y te aseguro
que algún día llegaremos.

Al principio, a la hormiguita le encantó el viaje,
pero al rato la pobre se durmió y resbaló al suelo.
La tortuga, sin darse cuenta, siguió su camino.

Cansada, la hormiguita se acurrucó
entre las hierbas y volvió
a quedarse dormida.

Al despertar se sintió con más energías que nunca.

Comió unos bocados de una hojita muy tierna, bebió unas gotas de rocío y siguió caminando.

De pronto tocó algo con sus antenas. Era una abeja que se secaba al sol.

–¿Quién eres? –preguntó la abejita.

–Soy una hormiguita. Me perdí y no puedo encontrar mi casa.

–¿Por qué no vas por el aire?

–Porque no puedo volar.

–¿Se te mojaron las alas como a mí?

–No tengo alas.

–¡Qué raro! ¿Y te perdiste mientras buscabas flores para hacer miel?

–Las hormigas no fabricamos miel.

–¿Y qué hacen, entonces?

–Tenemos un hormiguero enorme, con muchos caminos y galerías, y formamos depósitos de alimentos, cuidamos a la Reina y a los hijitos.

–¿Así que las flores no les sirven para nada?

–Preferimos las hojas verdes y tiernas –respondió la hormiguita.

–¡Ah… Qué raro que te hayas perdido! Nosotras, las abejas, sabemos siempre dónde está nuestra colmena. ¡Buena suerte!

La abejita levantó vuelo y se fue.

La hormiguita siguió andando y oyó que alguien gritaba:

–¡Hueeevooos!... ¡Hueeevoooos freescoooos!

–¿Quién grita de ese modo? –preguntó.

Una voz le contestó:

–El Sapo Huevero.

La hormiguita miró alrededor, para ver quién le hablaba. Era un cascarudo negro
y muy brillante.

–Te aviso que tengas mucho cuidado –dijo el cascarudo–. Ese que grita es el que junta
huevos de hormiga para venderlos. Cuando tiene hambre, traga todo lo que camina...
¿Pero qué haces tú por aquí, tan chiquita y tan sola?

–Me perdí y ando buscando mi hormiguero.

–Entonces debes cuidarte. No sólo del Sapo Huevero sino también de los pájaros...
En tu lugar, yo haría un agujero para esconderme.

El cascarudo se alejó y la hormiguita quedó temblando de miedo.

Por suerte apareció una pequeña langosta de color esmeralda, que la miró
con sus ojos brillantes y con voz afectuosa le preguntó:

—¿Quién eres?

—Soy una hormiguita. Me perdí y no puedo
encontrar mi casa.

—¡Ah, qué lindo! —exclamó la langosta.

—¿Te parece lindo, andar entre extraños,
sin saber adónde voy?

—¡Claro que sí! ¡Es divertido conocer
mucha gente!

—Preferiría estar con mis compañeras
en mi hormiguero.

—¡Qué felicidad poder ir y venir por donde
se te antoje!… —exclamó la langosta
sin hacerle caso y desapareció.

Hacía mucho calor y la viajera, buscando un poco de sombra, se detuvo
bajo un arbolito. Y entonces le pasó algo muy extraño. El arbolito le habló
y le dijo:

—Descansa, pequeñita, descansa aquí cuanto quieras. Yo te daré sombra
y cuidaré tu sueño.

Estas palabras la emocionaron, pues todas las hormigas de su especie dañan a las plantas.

El árbol volvió a hablar:

—Yo descanso solamente en el invierno, pero tú puedes hacerlo cuando quieres. ¡Duerme tranquila! ¡Yo te protegeré del sol y de la lluvia!

—¡Eres el amigo más bueno que existe! —dijo la viajera. Apoyó la cabeza en un grano de tierra y se durmió.

Soñó que viajaba en un coche formado por una hoja del que tiraban dos ranitas verdes. Las ranitas saltaban con tal rapidez que a la hormiguita le parecía que volaba.

Pasó por un jardín lleno de flores, y allí estaban el alguacil, el caracol, la tortuga y la abeja.

De pronto llegó a su hormiguero. Las hormigas, formadas en fila, hacían señas a las ranitas para que se detuvieran.

Sintió un fuerte ruido, como si hubieran chocado contra algo, y en ese momento se despertó. Había una gran tormenta. Los ruidos eran truenos, y el viento y la lluvia se la llevaban.

Asustada, consiguió agarrarse a la pequeña grieta de una piedra.

Cuando la lluvia paró, bajó al suelo. Caminaba muy despacio, porque le dolía todo el cuerpo, sobre todo la patita con la que se había sujetado a la grieta.

–¡No llegaré nunca a mi hormiguero! –lloriqueó –¡Moriré sola en este lugar desconocido!

A través de las lágrimas vio que se acercaba un grillo negro y brillante, que se detuvo y la palpó con sus larguísimas antenas. La hormiguita se frotó los ojos y preguntó:

–¿El Manchado?

–¿Cómo sabes mi nombre? –respondió el grillo.

–Por esa mancha blanca que tienes en la cabeza.

–¿Puedo servirte en algo? Te veo renga y triste.

–¿No sabes dónde está mi casa? Me perdí y no puedo encontrarla.

–¿Y cómo te perdiste?

–Estaba explorando, y encontré
una montaña de gusto
delicioso. Me subí a ella y,
sin que me diera cuenta,
quedé prisionera
en la oscuridad.

Iba a preguntarle al grillo cómo llegar a su hormiguero pero se dio cuenta de que tenía que curarse la pata antes de seguir.

—Consultaremos al doctor Lagartija —dijo El Manchado.

—¿No me comerá? —preguntó la hormiguita.

—No temas. El doctor Lagartija es un gran médico. Estoy seguro de que te dejará la pata como nueva.

Sobre una piedra rodeada de hierbas, estaba el doctor Lagartija.

El Manchado se adelantó y explicó: –Aquí le traigo a esta hormiguita con una pata lastimada para que usted la cure, doctor Lagartija.

–Acércate –ordenó el doctor a la hormiguita. Le revisó bien la pata, y después le dijo que mordiera la punta de su cola.

–Ahora no necesitas más que tierra –explicó–. Mete la patita aquí, donde la tierra está húmeda, y no te muevas hasta que yo te avise.

Después de un rato, el doctor le preguntó si se sentía mejor y la hormiguita asintió. Cuando estuvo bien del todo, la hormiguita le pidió a El Manchado si podía acompañarla hasta su casa.

–No puedo, porque tengo mucho que hacer –contestó el grillo–, pero te aconsejo que sigas andando siempre hacia donde sale el sol. Cuando te encuentres con una avispa, sabrás que ya estás cerca de tu casa.

Después se despidió de la hormiguita y se fue.

Era ya de día cuando vio la avispa
que se calentaba al sol.

–¿Quién eres?

–Soy una hormiguita. Me perdí y busco mi hormiguero.

–Eres una hormiguita, sin duda –afirmó
la avispa–. Pero no puedo creer
que estés perdida.

–Vengo desde muy lejos y caminé sin rumbo, de día y de noche.

–¿Y cómo andas de noche?

–Me guío por el olfato –contestó la hormiguita.

–Habrás andado como ninguna hormiga,
pero creo que no estás lejos de casa.

–¿No eres de las hormigas que viven junto al agua?

–Así es, señora. Cerca de mi casa hay agua.

–De allí saco yo el barro para el nido. Tu hormiguero está cerca,
junto a una piedra muy grande.

–¡Sí! ¡Estoy tan contenta! ¡No se imagina por todas
las que he pasado…! Muchas gracias por su ayuda…

–De nada, pequeña. Sigue adelante y llegarás a tu casa.

Siguió andando cada vez más rápido, tanto que no se le veían las patitas. Cada vez sentía más el olor del pasto que tan bien conocía.

Al fin vio la piedra que buscaba. Se hubiera metido enseguida en el hormiguero, pero dos hormigas que estaban de guardia le gritaron:

–¡Alto!

–¿Por qué me detienen? –preguntó la hormiguita, sorprendida.

–¡Porque no te conocemos!

–¡Soy una de ustedes! ¡Me perdí y vengo desde muy lejos!

–Vamos a ver.

La hormiguita esperó. Se acercaron otras hormigas y la palparon.

–Estás demasiado sucia –dijo una.

–Estoy sucia porque anduve por caminos llenos de barro.

–¿Qué fuiste a buscar?

–Provisiones, como es mi obligación.

–¡Pero no traes nada!

–Es que soy exploradora, y me llevaron tan lejos que a duras penas pude volver
–contestó la hormiguita.

–Puede ser, pero todavía no podemos dejarte entrar.
Vendrán a reconocerte otras compañeras que saben
más que nosotras.

Se acercaron diez hormigas, que la
olieron y palparon. Finalmente dijeron:

–¡Puedes pasar! ¡Te creíamos
perdida para siempre!

La hormiguita les explicó
cómo se perdió, y cómo
anduvo día y noche
buscando su hogar.
También les contó
su encuentro
con El Manchado.
Todas elogiaron
al grillo, famoso
por su buen corazón.

La ayudaron a quitarse el barro, y la acompañaron hasta la sala real, ante la Reina.

Cuando estuvieron en presencia de la Reina, una hormiga exclamó:

–¡Madre, aquí te traemos a la exploradora que se había perdido!

La Reina le pidió que se acercara y le contara su viaje, con todos los detalles.
Mientras la hormiguita hablaba, la Reina movía la cabeza cada tanto. Cuando terminó
el relato, la Reina dijo:

–¡Tu voluntad, hija mía, es lo que te ha salvado!... De ahora en más te llamaremos
Hormiguita Viajera. ¡Y que tu experiencia sirva de ejemplo para que ninguna hormiga de
mi reino afloje ante las dificultades, ni se rinda jamás!